KB198838

열두 개의 달 시화집
六月.

이파리를 흔드는 저녁 바람이

열두 개의 달 시화집

六月.

이파리를 흔드는 저녁 바람이

윤동주 외 지음
에드워드 호퍼 그림

저녁달
고양이

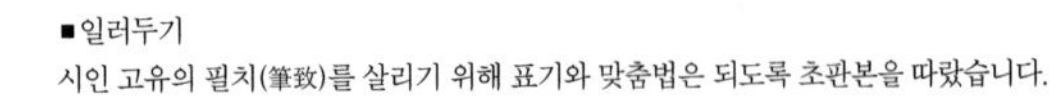

■ 일러두기

시인 고유의 필치(筆致)를 살리기 위해 표기와 맞춤법은 되도록 초판본을 따랐습니다.

유월 보름에
아! 벼랑가에 버린 빗 같구나
돌아보실 님을 잠시나마 따르겠습니다.

_고려가요 '동동' 중 六月

차
례

유월의 언덕

노천명

아카시아꽃 핀 유월의 하늘은
사뭇 곱기만 한데
파라솔을 접듯이
마음을 접고 안으로 안으로만 들다.

이 인파 속에서 고독이
곧 얼음모양 꼿꼿이 얼어들어 옴은
어쩐 까닭이뇨

보리밭엔 양귀비꽃이 오스러지게 고운데
이른 아침부터 밤이 이슥토록
이야기해 볼 삶은 없어
파라솔을 접듯이
마음을 접어 가지고 안으로만 들다.

장미가 말을 재우지 않은 이유를
알겠다.
사슴이 말을 안 하는 연유도
알아듣겠다.

아카시아꽃 핀 유월의 언덕은
곱기만 한데-

나무

윤동주

나무가 춤을 추면
바람이 불고,
나무가 잠잠하면
바람도 자오.

첫여름

윤곤강

들에 괭잇날
비늘처럼 빛나고
풀 언덕엔
암소가 기일게 운다

냇가로 가면
어린 바람이 버들잎을
물처럼 어루만지고 있었다

四日

개똥벌레

윤곤강

저만이 어둠을 꿰매는 양
꽁무니에 등불을 켜 달고 다닌다

반디불

윤동주

가자 가자 가자
숲으로 가자
달조각을 주으러
숲으로 가자.

—— 그믐밤 반디불은
—— 부서진 달조각,

가자 가자 가자
숲으로 가자
달조각을 주으러
숲으로 가자.

여름밤의 풍경

노자영

새벽 한 시 울타리에 주렁주렁 달린 호박꽃엔
한 마리 반딧불이 날 찾는 듯 반짝거립니다
아, 멀리계신 님의 마음 반딧불 되어 오셨읍니까?
삼가 방문을 열고 맨발로 마중 나가리다

창 아래 잎잎이 기름진 대추나무 사이로
진주같이 작은 별이 반짝 거립니다
당신의 고운 마음 별이 되어 날 부르시나이까
자던 눈 고이 닦고 그 눈동자 바라보리다.

후원 담장 밑에 하얀 박꽃이 몇 송이 피어
수줍은 듯 홀로 내 침실을 바라보나이다
아, 님의 마음 저 꽃이 되어 날 지키시나이까
나도 한 줄기 미풍이 되어 당신 귀에 불어가리다.

숲 향기 숨길

김영랑

숲 향기 숨길을 가로막았소
발 끝에 구슬이 깨이어지고
달 따라 들길을 걸어다니다
하룻밤 여름을 새워 버렸소

여름밤이 길어요

한용운

당신이 계실 때에는 겨울밤이 쩌르더니 당신이
가신 뒤에는 여름밤이 길어요
책력의 내용이 그릇되었나 하였더니 개똥불이
흐르고 벌레가 웁니다
긴 밤은 어디서 오고 어디로 가는 줄을 분명히
알았습니다
긴 밤은 근심바다의 첫 물결에서 나와서 슬픈
음악이 되고 아득한 사막이 되더니 필경 절망의
성(城) 너머로 가서 악마의 웃음 속으로
들어갑니다

그러나 당신이 오시면 나는 사랑의 칼을 가지고
긴 밤을 깨어서 일천(一千) 토막을 내겠습니다
당신이 계실 때는 겨울밤이 쩌르더니 당신이 가신
뒤는 여름밤이 길어요

정주성

백석

산(山)턱 원두막은 비었나 불빛이 외롭다
헝겊심지에 아즈까리 기름의 쪼는 소리가 들리는
듯하다

잠자리 조을든 무너진 성(城)터
반딧불이 난다 파란 혼(魂)들 같다
어데서 말 있는 듯이 크다란 산(山)새 한 마리 어두운
골짜기로 난다

헐리다 남은 성문(城門)이
한울빛같이 훤하다
날이 밝으면 또 메기수염의 늙은이가 청배를 팔러
올 것이다

산림(山林)

윤동주

시계(時計)가 자근자근 가슴을 때려
불안(不安)한 마음을 산림이 부른다.

천년(千年) 오래인 연륜(年輪)에 짜들은 유암(幽暗)한 산림이,
고달픈 한몸을 포옹(抱擁)할 인연(因緣)을 가졌나 보다.

산림의 검은 파동(波動)위로부터
어둠은 어린 가슴을 짓밟고

이파리를 흔드는 저녁바람이
솨— 공포(恐怖)에 떨게 한다.

멀리 첫여름의 개구리 재질댐에
흘러간 마을의 과거(過去)는 아질타.

나무틈으로 반짝이는 별만이
새날의 희망(希望)으로 나를 이끈다.

이름을 듣고
또 다시 보게 되네
풀에 핀 꽃들

名を聞いてまた見直すや草の花

데이지

하몽(夏夢)

권환

넓고 망망한 이 지구 위엔
산도 바다도 소나무도 야자수도
빌딩도 전신주도 레일도 없는

오직 불그레한 복숭아꽃 노 — 란 개나리꽃만
빈틈없이 덮인 꽃 바다 꽃 숲이었다

노 — 란 바다 불그레한 숲 그 속에서
리본도 넥타이도 스타킹도 없는 발가벗은 몸둥이로
영원한 청춘을 노래하였다

무상(無像)의 조각처럼
영원히 피곤도 싫증도 모르고

영원히 밝고 영원히 개인 날에

나는 손으로 기타를 치면서
발로는 댄서를 하였다

그것은 무거운 안개가 땅을 덮은
무덥고 별없는 어느 여름밤 꿈이었다

송인(送人)

정지상

雨歇長堤草色多 우헐장제초색다
送君南浦動悲歌 송군남포동비가
大同江水何時盡 대동강수하시진
別淚年年添綠波 별루년년첨록파

비 개인 긴 언덕에는 풀빛이 푸른데
그대를 남포에서 보내며 슬픈 노래 부르네
대동강 물은 그 언제 다할 것인가
이별의 눈물 해마다 푸른 물결에 더하는 것을

보기 좋아라
내 사랑하는 님의
새하얀 부채

目に嬉し恋君の扇真白なる

부손

가슴 1

윤동주

소리 없는 북,
답답하면 주먹으로
뚜드려 보오.

그래 봐도
후—
가아는 한숨보다 못하오.

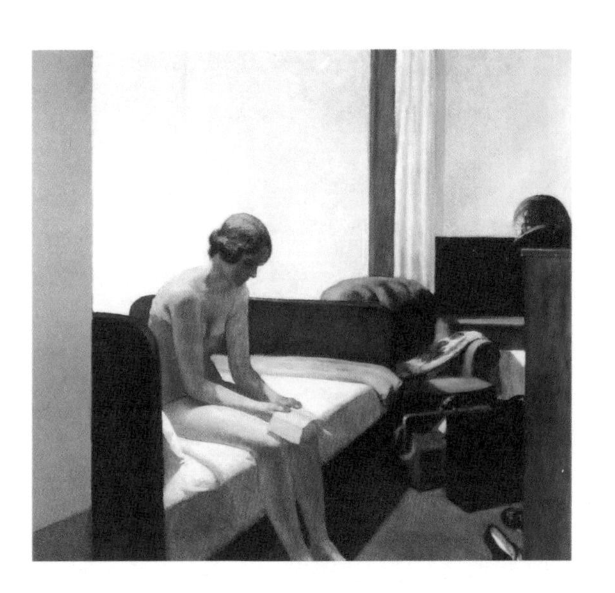

쉽게 쓰여진 시

윤동주

창 밖에 밤비가 속살거려
육첩방(六疊房)은 남의 나라,

시인이란 슬픈 천명인 줄 알면서도
한 줄 시를 적어볼까.

땀내와 사랑내 포근히 품긴
보내주신 학비봉투를 받아

대학 노트를 끼고
늙은 교수의 강의 들으러 간다.

생각해보면 어린 때 동무를
하나, 둘, 죄다 잃어버리고

나는 무얼 바라
나는 다만, 홀로 침전하는 것일까?

인생은 살기 어렵다는데
시가 이렇게 쉽게 씌어지는 것은
부끄러운 일이다.

육첩방은 남의 나라
창 밖에 밤비가 속살거리는데

등불을 밝혀 어둠을 조금 내몰고
시대처럼 올 아침을 기다리는 최후의 나,

나는 나에게 작은 손을 내밀어
눈물과 위안으로 잡은 최초의 악수.

아침

윤동주

휙, 휙, 휙,
소꼬리가 부드러운 채찍질로
어둠을 쫓아
캄, 캄, 어둠이 깊다 깊다 밝으오.

이제 이 동리의 아침이
풀살 오는 소엉덩이처럼 푸르오.
이 동리 콩죽 먹은 사람들이
땀물을 뿌려 이 여름을 길렀오.

잎, 잎, 풀잎마다 땀방울이 맺혔소.

꾸김살 없는 이 아침을
심호흡하오 또 하오.

몽미인(夢美人)

변영로

꿈이면 가지는 그 길
꿈이면 들리는 그 집
꿈이면 만나는 그 이

어느결 가지는 그 길
언제나 낯익은 그 길
웃잖고 조용한 그 얼굴

커다란 유심한 그 눈
담은채 말 없는 그 입
잡으랴 놓치는 그 모습

어찌다 깨이면 그 꿈
서글기 끝 없네 내 마음
다시금 잠 들랴 헛된 일

딱딱한 포도(舖道)를 걸으며
짝 잃은 나그네 홀로서
희미한 그 모습 더듬네

머잖아 깊은 잠 들 때엔
밤낮에 못 잊은 그대를
그 길가 그 집서 뫼시리.

사랑

황석우

사랑은 잿갈거리기 잘하는
제비의 혼(魂)!
그들은 사람들의 입술 위의 추녀 끝에
보금자리를 치고 있다

SILBERS PHARMACY
PRESCRIPTIONS DRUGS
EX-LAX

한 조각 하늘

박용철

무심한 눈을 들창으로 치어들다,
한 조각 푸른 하늘이 눈에 뜨이여

이 얼마 하늘을 잊고 살던 일이 생각되여
잊어버렸든 귀한 것을 새로 찾은 듯싶어라.

네 벽 좁은 방안에 있는 마음이 뛰어
눈에 거칠 것 없는 들녘 언덕 위에

둥그런 하늘을 온통 차일 삼고
바위나 어루만지며 서 있는 듯 기뻐라.

그대는 호령도 하실 만하다

김영랑

창랑에 잠방거리는 흰 물새러냐
그대는 탈도 없이 태연스럽다

마을 휩쓸고 목숨 앗아간
간밤 풍랑도 가소롭구나

아침 날빛에 돛 높이 달고
청산아 보아라 떠나가는 배

바람은 차고 물결은 치고
그대는 호령도 하실 만하다

유월

윤곤강

보리 누르게 익어
종달이 하늘로 울어 날고
멍가나무의 빨간 열매처럼
나의 시름은 익는다

병원

윤동주

살구나무 그늘로 얼굴을 가리고, 병원 뒤뜰에 누워,
젊은 여자가 흰 옷 아래로 하얀 다리를 드러내 놓고
일광욕을 한다. 한나절이 기울도록 가슴을 앓는다는
이 여자를 찾아오는 이 나비 한 마리도 없다.
슬프지도 않은 살구나무 가지에는 바람조차 없다.

나도 모를 아픔을 오래 참다 못해 처음으로 이 곳을
찾아 왔다. 그러나 나의 늙은 의사는 젊은이의 병을
모른다. 나한테는 병이 없다고 한다. 이 지나친 시련,
이 지나친 피로, 나는 성내서는 안된다.

여자는 자리에서 일어나 옷깃을 여미고 화단에서
금잔화 한 포기를 따 가슴에 꽂고 병실 안으로
사라진다. 나는 그 여자의 건강이… 아니 나의
건강이 속히 회복되길 바라며 그가 누웠던 자리에
누워 본다.

밤

정지용

눈 머금은 구름 새로
흰달이 흐르고,

처마에 서린 탱자나무가 흐르고,

외로운 촉불이, 물새의 보금자리가 흐르고……

표범 껍질에 호젓하이 쌓이여
나는 이 밤, 「적막한 홍수」를 누어 건너다.

가로수(街路樹)

유동주

가로수(街路樹), 단출한 그늘밑에
구두술 같은 헤ㅅ바닥으로
무심(無心)히 구두술을 할는 시름.

때는 오정(午正). 싸이렌,
어디로 갈 것이냐?

□시 그늘은 맴돌고.
따라 사나이도 맴돌고.

내렸다가 그치고
불었다가 그치는
밤의 고요

降り止みし吹きやみし夜のさゆるなり

오쓰지

PHILLIES

눈 감고 간다

윤동주

태양을 사모하는 아이들아
별을 사랑하는 아이들아

밤이 어두웠는데
눈 감고 가거라.

가진 바 씨앗을
뿌리면서 가거라.

발뿌리에 돌이 채이거든
감았던 눈을 왓작 떠라.

二十八日

개

윤동주

「이 개 더럽잖니」
아——니 이웃집 덜렁 수캐가
오늘 어슬렁어슬렁 우리집으로 오더니
우리집 바둑이의 밑구멍에다 코를 대고
씩씩 내를 맡겠지 더러운 줄도 모르고,
보기 흉해서 막 차며 욕해 쫓았더니
꼬리를 휘휘 저으며
너희들보다 어떻겠냐 하는 상으로
뛰어가겠지요 나——참.

바람과 노래

김명순

떠오르는 종다리 지종지종하매
바람은 옆으로 애끊이더라
서창(西窓)에 기대선 처녀
임에게 드리는 노래 바람결에 부치니
바람은 쏜살길이 님으로 불어가더라

6월이 오면, 인생은 아름다워라!

로버트 S. 브리지스

유월이 오면 날이 저물도록
향기로운 건초 속에 사랑하는 이와 앉아
잔잔함 바람 부는 하늘 높은 곳 흰 구름이 짓는,
햇살 비추는 궁궐도 바라보겠소.
나는 노래를 만들고, 그녀는 노래하고,
남들이 보지 못하는 건초더미 보금자리에,
아름다운 시를 읽어 해를 보내오.
오, 인생은 즐거워라, 유월이 오면.

Life is delight when June is come

Robert Seymour Bridges

When June is come, then all the day,
I'll sit with my love in the scented hay,
And watch the sunshot palaces high
That the white clouds build in the breezy sky.
She singth, and I do make her a song,
And read sweet poems whole day long;
Unseen as we lie in our haybuilt home,
O, life is delight when June is come

시인 소개

윤동주

尹東柱. 1917~1945. 일제강점기의 저항(항일)시인이자 독립운동가. 아명은 해환(海煥). 해처럼 빛나라는 뜻이다. 동생인 윤일주의 아명은 환(達煥)이다. 갓난아기 때 세상을 떠난 동생은 '별환'이다.

윤동주는 만주 북간도의 명동촌에서 태어났으며, 기독교인인 할아버지의 영향을 받았다. 1931년(14세)에 명동소학교를 졸업하고, 한때 중국인 관립학교인 대랍자 학교를 다니다 가족이 용정으로 이사하자 용정에 있는 은진중학교에 입학하였다. 1935년에 평양의 숭실중학교로 전학하였으나, 학교에 신사참배 문제가 발생하여 폐쇄당하고 말았다. 다시 용정에 있는 광명학원의 중학부로 편입하여 거기서 졸업하였다.

1941년에는 서울의 연희전문학교 문과를 졸업하고, 일본으로 건너가 도쿄에 있는 릿쿄대학 영문과에 입학하였다가, 다시 1942년, 도시샤대학 영문과로 옮겼다. 학업 도중 귀향하려던 시점에 항일운동을 했다는 혐의로 일본 경찰에 체포되어(1943. 7), 2년형을 선고받고 후쿠오카형무소에서 복역하였다. 그러나 복역 중 건강이 악화되어 1945년 2월에 생을 마감하고 말았다. 유해는 그의 고향 용정에 묻혔다. 한편, 그의 죽음에 관해서는 옥중에서 정체를 알 수 없는 주사를 정기적으로 맞은 결과이며, 이는 일제의 생체실험의 일환이었다는 주장도 제기되고 있다.

15세 때부터 시를 쓰기 시작하여 첫 작품으로 〈삶과 죽음〉, 〈초한대〉를 썼다. 발표 작품으로는 만주의 연길에서 발간된 《가톨릭 소년》지에 실린 동시 〈병아리〉(1936. 11), 〈빗자루〉(1936. 12), 〈오줌싸개 지도〉(1937. 1), 〈무얼 먹구사나〉(1937. 3), 〈거짓부리〉(1937. 10) 등이 있다. 연희전문학교에 다닐 때에는 《조선일보》에 발표한 산문 〈달을 쏘다〉, 교지 《문우》지에 게재된 〈자화상〉, 〈새로운 길〉이 있다. 그리고 그의 유작인 〈쉽게 쓰여진 시〉가 사후에 《경향신문》에 게재되기도 하였다(1946).

그의 절정기에 쓰인 작품들을 1941년 연희전문학교를 졸업하던 해에 《하늘과 바람과 별과 시》라는 제목으로 발간하려 하였으나 뜻을 이루지 못하였다. 그의 자필 유작 3부와 다른 작품들을 모아 친구 정병욱과 동생 윤일주가, 사후에 그의 뜻대로 1948년, 《하늘과 바람과 별과 시》라는 제목으로 출간했다.

29년의 짧은 생애를 살았지만 특유의 감수성과 삶에 대한 고뇌, 독립에 대한 소망이 서려 있는 작품들로 인해 대한민국 문학사에 길이 남은 전설적인 문인이다. 2017년 12월 30일, 탄생 100주년을 맞이했다.

백석

白石. 1912~1996. 일제 강점기와 조선민주주의인민공화국의 시인이자 소설가, 번역문학가이다. 본명은 백기행(白夔行)이며 본관은 수원(水原)이다. '白石(백석)'과 '白奭(백석)'

이라는 아호(雅號)가 있었으나, 작품에서는 거의 '白石(백석)'을 쓰고 있다.

평안북도 정주(定州) 출신. 오산고등보통학교를 마친 후, 일본에서 1934년 아오야마학원 전문부 영어사범과를 졸업하였다. 부친 백용삼과 모친 이봉우 사이의 3남 1녀 중 장남으로 출생했다. 부친은 우리나라 사진계의 초기인물로 《조선일보》의 사진반장을 지냈다. 모친 이봉우는 단양군수를 역임한 이양실의 딸로 소문에 의하면 기생 내지는 무당의 딸로 알려져 백석의 혼사에 결정적인 지장을 줄 정도로 당시로서는 심한 천대를 받던 천출의 소생으로 알려져 있다.

1930년 《조선일보》 신년현상문예에 1등으로 당선된 단편소설 〈그 모(母)와 아들〉로 등단했고, 몇 편의 산문과 번역소설을 내며 작가와 번역가로서 활동했다. 실제로는 시작(時作) 활동에 주력했으며, 1936년 1월 20일에는 그간 《조선일보》와 《조광(朝光)》에 발표한 7편의 시에, 새로 26편의 시를 더해 시집 《사슴》을 자비로 100권 출간했다. 이 무렵 기생 김진향을 만나 사랑에 빠졌고 이때 그녀에게 '자야(子夜)'라는 아호를 지어주었다.

이후 1948년 《학풍(學風)》 창간호(10월호)에 〈남신의주 유동 박시봉방(南新義州 柳洞 朴時逢方)〉을 내놓기까지 60여 편의 시를 여러 잡지와 신문, 시선집 등에 발표했으나, 분단 이후 북한에서의 활동은 정확히 알려진 것이 없다.

백석은 자신이 태어난 마을과 마을 사람들 그리고 주변 자연을 대상으로 시를 썼다. 작품에는 평안도 방언을 비롯하여 여러 지방의 사투리와 고어를 사용했으며 소박한 생활 모습과 철학적 단면이 시에 잘 드러나 있다. 그의 시는 한민족의 공동체적 친근성에 기반을 두었고 작품의 도처에는 고향의 부재에 대한 상실감이 담겨 있다.

정지용

鄭芝溶. 1902~1950. 대한민국의 대표적 서정 시인이다. 충청북도 옥천군 옥천면 하계리에서 한의사인 정태국과 정미하 사이에서 맏아들로 태어났다. 연못의 용이 하늘로 올라가는 태몽을 꾸었다고 하여 아명은 지룡(池龍)이라고 하였다. 당시 풍습에 따라 열두 살에 송재숙(宋在淑)과 결혼했으며, 1914년 아버지의 영향으로 로마 가톨릭에 입문하여 '방지거(方濟各, 프란치스코)'라는 세례명을 받았다. 정지용은 섬세하고 독특한 언어를 구사하며, 생생하고 선명한 대상 묘사에 특유의 빛을 발하는 시인이다. 한국현대시의 신경지를 열었다는 평가를 받고 있으며, 이상을 비롯하여 조지훈, 박목월 등과 같은 청록파 시인들을 등장시키기도 했다. 그는 휘문고보 재학 시절 〈서광〉 창간호에 소설 〈삼인〉을 발표하였으며, 일본 유학시절에는 대표작이 된 〈향수〉를 썼다. 1930년에 시문학 동인으로 본격적인 문단활동을 했고, 구인회를 결성하고, 문장지의 추천위원으로도 활동했다. 해방 이후에는 《경향신문》의 주간으로 일하며 대학에도 출강했는데, 이화여대에서는 라틴어와 한국어를, 서울대에서는 시경을 강의했다. 1950년 한국전쟁이 일어난 뒤에는 김기림. 박영희 등과 함께 서대문형무소에 수용되었다가, 이후 납북되었다가 사망하였다. 사망 장소와 시기는 정확히 확인되지 않는데, 1953년 평양에서 사망했다고 알려져 있다. 주요 저서로는 《정지용 시집》 《백록담》 《지용문학독본》 등이 있다. 그의 고향 충북 옥천에서는 매년 5월에 지용제를 개최하고 있으며, 1989년부터는 시와 시학사에서 정지용문학상을 제정하여 매년 시상하고 있다.

김영랑

金永郎. 1903~1950. 시인. 본관은 김해(金海). 본명은 김윤식(金允植). 영랑은 아호인데 《시문학(詩文學)》에 작품을 발표하면서부터 사용하기 시작하였다. 전라남도 강진 출신. 1915년 강진보통학교를 졸업한 뒤 혼인하였으나 1년 반 만에 부인과 사별하였다. 초기 시는 1935년 박용철에 의하여 발간된 《영랑시집》 초판의 수록시편들이 해당되는데, 여기서는 자연에 대한 깊은 애정이나 인생태도에 있어서의 역정(逆情)·회의 같은 것은 찾아볼 수 없다. '슬픔'이니 '눈물'의 용어가 수없이 반복되면서 그 비애의식은 영탄이나 감상에 기울지 않고, '마음'의 내부로 향해져 정감의 극치를 이루고 있다. 요컨대, 그의 초기 시는 같은 시문학동인인 정지용 시의 감각적 기교와 더불어 그 시대 한국 순수시의 극치를 보여주고 있다. 그러나 1940년을 전후하여 민족항일기 말기에 발표된 〈거문고〉 〈독(毒)을 차고〉 〈망각(忘却)〉 〈묘비명(墓碑銘)〉 등 일련의 후기 시에서는 그 형태적인 변모와 함께 인생에 대한 깊은 회의와 '죽음'의 의식이 나타나 있다.

한용운

韓龍雲. 1879~1944. 일제 강점기의 시인, 승려, 독립운동가. 본관은 청주. 호는 만해(萬海)이다. 불교를 통해 혁신을 주장하며 언론 및 교육 활동을 했다. 그는 작품에서 퇴폐적인 서정성을 배격하였으며 조선의 독립 또는 자연을 부처에 빗대어 '님'으로 형상화했으며, 고도의 은유법을 구사했다. 1918년 《유심》에 시를 발표하였고, 1926년 〈님의 침묵〉 등의 시를 발표하였다. 〈님의 침묵〉에서는 기존의 시와, 시조의 형식을 깬 산문시 형태로 시를 썼다. 소설가로도 활동하여 1930년대부터는 장편소설 《흑풍(黑風)》 《철혈미인(鐵血美人)》 《후회》 《박명(薄命)》 단편소설 《죽음》 등을 비롯한 몇 편의 장편, 단편 소설들을 발표하였다. 1931년 김법린 등과 청년승려비밀결사체인 만당(卍黨)을 조직하고 당수로 취임했다. 한용운은 교우관계에 있어서도 좋고 싫음이 분명하여, 친일로 변절한 시인들에 대해서는 막말을 하는가 하면 차갑게 모른 체했다고 한다.

노천명

盧天命. 1911~1957. 일제 강점기의 시인, 작가, 언론인이다. 본관은 풍천(豊川)이며, 황해도 장연군 출생이다. 아명은 노기선(盧基善)이나, 어릴 때 병으로 사경을 넘긴 뒤 개명하였다. 1930년 진명여학교를 졸업하고, 그해 이화여전 영문학과에 입학했다. 이화여전 재학 때인 1932년에 시 〈밤의 찬미〉 〈포구의 밤〉 등을 발표했다. 그 후 〈눈 오는 밤〉 〈망향〉 등 주로 애틋한 향수를 노래한 시들을 발표했다. 널리 애송된 그의 대표작 〈사습〉으로 인해 '사슴의 시인'으로 불리기도 했다. 독신으로 살았던 그의 시에는 주로 개인적인 고독과 슬픔의 정서가 부드럽게 담겨 있다.

윤곤강

尹崑崗. 1911~1949. 시인. 충청남도 서산 출생. 본명은 붕원(朋遠). 1933년 일본 센슈 대학을 졸업했으며, 1934년 《시학》 동인의 한 사람으로 문단에 등장했다. 초기에는 카프(KAPF: 조선프롤레타리아예술동맹)파의 한 사람으로 시를 썼으나 곧 암흑과 불안, 절망을 노래하는 퇴폐적 시풍을 띠게 되었고 풍자적인 시를 썼다. 그러나 해방 후에는 전통적 정서에 대한 애착과 탐구를 시에 표현했다. 동인지 《시학》을 주재했으며, 그 밖의 시집으로 《빙하》, 《동물시집》, 《살어리》 등이 있고, 시론집으로 《시와 진실》이 있다.

박용철

朴龍喆. 1904~1938. 시인. 문학평론가. 번역가. 전라남도 광산(지금의 광주광역시 광산구) 출신. 아호는 용아(龍兒). 배재고등보통학교를 거쳐 일본에서 수학하였다. 일본 유학 중 김영랑을 만나 1930년 《시문학》을 함께 창간하며 문학에 입문했다. 〈떠나가는 배〉 등 식민지의 설움을 드러낸 시로 이름을 알렸으나, 정작 그는 이데올로기나 모더니즘은 지양하고 대립하여 순수문학이라는 흐름을 이끌었다. 김영랑, 정지용, 신석정, 이하윤 등이 박용철과 함께 순수시를 옹호하는 시문학파 시인들이다. 〈밤기차에 그대를 보내고〉 〈싸늘한 이마〉 〈비 내리는 날〉 등의 순수시를 발표하며 초기에는 시작 활동을 많이 했으나, 후에는 주로 극예술연구회의 회원으로 활동하면서 해외 시와 희곡을 번역하고 평론을 발표하는 활동을 하였다. 1938년 결핵으로 요절하여 생전에 자신의 작품집은 내지 못하였다.

변영로

卞榮魯. 1898~1961. 시인, 영문학자, 대학 교수, 수필가, 번역문학가이다. 신문학 초창기에 등장한 신시의 선구자로서, 압축된 시구 속에 서정과 상징을 담은 기교를 보였다. 민족의식을 시로 표현하고 수필에도 재능이 있었다. 그의 시작 활동은 1918년 《청춘》에 영시 〈코스모스(Cosmos)〉를 발표하면서부터 시작되었는데 당시에는 천재시인이라는 찬사를 받기도 하였다. 그의 작품들은 부드럽고 정서적이어서 한때 시단의 주목을 받았으며, 작품 기저에는 민족혼을 일깨우고자 한 의도도 깔려 있었다. 대표작으로 〈논개〉를 들 수 있다.

노자영

盧子泳. 1898~1940. 시인·수필가. 호는 춘성(春城). 출생지는 황해도 장연(長淵) 또는 송화군(松禾郡)으로 전해지고 있지만 정확한 것은 알 수가 없다. 평양 숭실중학교를 졸업하고 고향의 양재학교에서 교편 생활을 한 적이 있으며, 1919년 상경하여 한성도서주식회사(漢城圖書株式會社)에 입사하였다. 1935년에는 조선일보사 출판부에 입사하여 《조광(朝光)》지를 맡아 편집하였다. 1938년에는 기자 생활을 청산하고 청조사(靑鳥社)를 직접 경영한 바 있다. 그의 시는 낭만적 감상주의로 일관되고 있으나 때로는 신선한 감각을 보여주기도 한다. 산문에서도 소녀 취향의 문장으로 명성을 떨쳤다.

김명순

金明淳. 1896~1951. 우리나라 최초의 여성 소설가. 평안남도 평양 출생. 아버지는 명문이며 부호인 김가산이고, 어머니는 그의 소실이었다. 그러나 어린 나이에 부모를 여의고 고아로 자랐다. 1911년 서울에 있는 진명(進明)여학교를 다녔고 동경에 유학하여 공부하기도 했다. 1917년 숙명여자고등보통학교를 졸업하였고 전통적인 결혼관에 대한 부정과 여성해방에 대한 의식은 성숙되어 있었다. 그녀는 봉건적인 가부장적 제도에 환멸을 느끼게 되며 이는 그녀의 이후 삶과 작품에 지대한 영향을 미치게 된다. 전통적인 남녀간의 모순적 관계를 극복하는 새로운 연애를 갈망했으며 남과여의 주체적인 관계만이 올바르다고 생각했다. 이 시기에 《청춘(靑春)》지의 현상문예에 단편소설 《의심(疑心)의 소녀》가 당선되어 문단에 데뷔하였다. 《의심의 소녀》는 전통적인 남녀관계에서 결혼으로 발생하는 비극적인 여성의 최후를 그려내는 작품이며 이 작품을 통해 여성해방을 위한 저항정신을 표현하였다. 그후에 단편 《칠면조(七面鳥)》(1921), 《돌아볼 때》(1924), 《탄실이와 주영이》(1924), 《꿈 묻는 날 밤》(1925) 등을 발표하고, 한편 시 《동경(憧憬)》《옛날의 노래여》《창궁(蒼穹)》《거룩한 노래》 등을 발표했다.
1925년에 시집 《생명의 과실(果實)》을 출간하는 등 활발한 활동을 보였으나, 그후 일본 도쿄[東京]로 가서 작품도 쓰지 못하고 가난에 시달리다 복잡한 연애사건으로 정신병에 걸려 사망했으며 그녀의 죽음에 관해서는 정확하게 알려진 내용이 없다. 김동인(金東仁)의 소설 《김연실전》의 실제 모델로 알려진 개화기의 신여성이다.

권환

權煥. 1903~1954. 경상남도 창원 출생. 1930년대 초 프로문학의 볼세비키화를 주도한 대표적인 사회주의적 성격의 활동을 많이 한 시인이자 비평가이다. 1925년 일본 유학생 잡지 《학조》에 작품을 발표하였고, 1929년 《학조》 필화사건으로 또 다시 구속되었다. 이 시기 일본 유학중인 김남천, 안막, 임화 등과 친교를 맺으며 카프 동경지부인 무신자사에서 활약하는 등 진보적 지식인의 면모를 보였다. 1930년 임화 등과 함께 귀국, 이른바 카프의 소장파로서 구카프계인 박영희, 김기진 등을 따돌리고 카프의 주도권을 장악하였다.

정지상

鄭知常, ? ~ 1135. 고려 중기의 문인으로, 고려를 대표하는 천재시인이다. 그가 쓴 서정시는 한 시대 시의 수준을 끌어올렸고, 그는 대대로 시인의 모범이 되었다. 다른 한 편 시대의 풍운아였던 그는, 서경 천도를 주장하는 무리들과 어울려 새로운 시대를 여는 데 적극 나섰다. 그러나 정치적 포부는 좌절되었고, 우리에게 그는 다만 몇 편의 시로 기억되고 있다. 작품으로는 《동문선》에 〈신설(新雪)〉 〈향연치어(鄉宴致語)〉가, 《동경잡기(東京雜記)》에 〈백률사(栢律寺)〉 〈서루(西樓)〉 등이 전하며, 《정사간집(鄭司諫集)》 《동국여지승람》 등에도 시 몇 수가 실려 있다.

황석우

黃錫禹, 1895~1959. 시인. 김억, 남궁벽, 오상순, 염상섭 등과 함께 1920년 《폐허》의 동인이 되어 상징주의 시 운동의 선구적인 역할을 하였다. 이듬해에는 박영희, 변영로, 노자영, 박종화 등과 함께 동인지 《장미촌》의 창단동인으로 활동했으며, 1929년에는 동인지 《조선시단》을 창간하였다. 시 작품들 중 〈벽모의 묘〉는 상징파 시의 영향을 받은 것으로 평가되고 있다. 황석우는 우리 문학사에 있어서 중요한 위치를 점하고 있으며, 한때 그의 작품에 퇴폐적인 어휘가 많이 쓰인 것으로 인하여, 그를 세기말적 분위기에 싸인 《폐허》 동인의 대표격으로 평가하기도 한다.

로버트 시모어 브리지스

Robert Seymour Bridges. 1844~1930. 영국의 시인. 순수하고 정직한 감정을 아름다운 운율에 표현한 시를 많이 썼다. 지주 집안에서 태어나 이튼 학교와 옥스퍼드 대학에서 공부했다. 그는 1916년에 홉킨스의 시집을 편집하여 빛을 보게 했다. 1869~1882년 의학 공부를 하고 외과의사로서 런던의 여러 병원에서 일했다. 시와 명상 및 작시법 연구에 몰두하면서 지냈다. 주요 저서로는, 소네트집 《사랑의 성장》(1876), 《단시집(短詩集, Shorter Poems)》(5권, 1873~1893)이 있고, 그 밖에 장시(長詩) 《미(美)의 유언 The Testament of Beauty》이 있다.

요사 부손

与謝蕪村. 1716~1784. 에도 시대의 하이쿠 시인. 본명 다니구치 노부아키. 요사 부손은 고바야시 잇사, 마쓰오 바쇼와 함께 하이쿠의 3대 거장으로 분류된다. 일본식 문인화를 집대성한 화가이기도 하다. 부유한 집안에서 태어났지만 예술가가 되기 위하여 집을 떠나 여러 대가들에게 하이쿠를 배웠다. 회화에서는 하이쿠의 정취를 적용해 삶의 리얼리티를 해학적으로 표현했으며, 하이쿠에서는 화가의 시선으로 사물을 섬세하게 묘사해 아름답고 낭만적이면서도 생생하게 시작을 했다. 평소에 마쓰오 바쇼를 존경하여, 예순의 나이에 편찬한 《파초옹부합집(芭蕉翁附合集)》의 서문에 “시를 공부하려면 우선 바쇼의 시를 외우라"고 적었다. 부손에게 하이쿠와 그림은 표현 양식만이 다를 뿐 자신의 감성을 표출하는 수단이었다. 그가 남긴 그림 〈소철도(蘇鐵圖)〉는 중요지정문화재이며, 교토의 야경을 그린 〈야색루태도(夜色樓台圖)〉도 유명하다. 이케 다이가와 공동으로 작업한 〈십편십의도(十便十宜圖)〉 역시 대표작으로 꼽힌다.

미사부로 데이지

彌三良低耳, 데이지는 바쇼의 《오쿠로 가는 작은 길(奥の細道)》에 하이쿠 1편이 실렸을 뿐, 지방 상인이라는 것 외에는 알려진 바가 없다.

오스가 오쓰지

大須賀乙字, 1881~1920, 일본의 하이쿠 시인. 1908년 도쿄 대학 재학 중에 발표한 〈하이쿠 계의 새로운 추세〉로 작가로서 이름을 높였다. 40세에 요절했기 때문에 작가로서의 활동 기간은 10년 남짓에 불과하다. 헤키고토의 이론을 수용, 정형을 파괴하는 신경향 하이쿠와 후의 자유 율법 하이쿠, 신흥 하이쿠에 큰 영향을 주었다.

화가 소개

에드워드 호퍼

Edward Hopper. 1882~1967. 미국의 대표적인 사실주의 화가. 뉴욕 주 나이아크에서 출생, 뉴욕에서 사망했다. 1889년경 파슨스디자인스쿨의 전신인 뉴욕예술학교에서 미국의 사실주의 화가 로버트 헨리에게서 그림을 배웠다. 에드워드 호퍼는 현대 미국인의 삶과 고독, 상실감을 탁월하게 표현해내 전 세계적으로 열렬하게 환호와 사랑을 받는 화가이다. 그의 여유롭고 정밀하게 계산된 표현은 근대 미국인의 삶에 대한 그의 개인적인 시각을 반영한다. 희미하게 음영이 그려진 평면적인 묘사법에 의한 정적(靜寂)이며 고독한 분위기를 담은 건물이 서 있는 모습이나 사람의 자태는 지극히 미국적인 특색을 강하게 보여주고 있다. 그는 미국 생활(주유소, 모텔, 식당, 극장, 철도, 거리 풍경)과 사람들의 일상생활이라는 두 가지를 주제로 삼았으며, 그의 작품들은 산업화와 제1차 세계대전, 경제대공황을 겪은 미국의 모습을 잘 나타냈고, 그 때문에 사실주의 화가로 불린다. 1960년대와 1970년대 팝아트, 신사실주의 미술에 큰 영향을 미쳤다. 평범한 일상을 의미심장한 진술로 표현하여 대중적인 인기를 얻었다.

1924년 호퍼는 같이 미술을 공부했던 동급생인 조세핀 버스틸 니비슨과 결혼했다. 호퍼가 조세핀이 화가로 활동하는 것에 반대했기 때문에 종종 심각할 정도로 부부싸움을 하기도 했지만, 둘의 오래고 복잡한 관계는 호퍼의 인생에 있어서 가장 중요한 부분을 차지했다. 호퍼의 대표작품은 〈밤을 지새우는 사람들〉은 조세핀과 자주 다니던 뉴욕의 24시간 식당을 배경으로 한 것이며, 조세핀은 호퍼의 그림에 등장하는 여인의 모델이 되어 호퍼가 요구하는 다양한 역할을 능숙하게 해냈다. 아내의 헌신과 조력으로, 결혼 후 호퍼는 직업적으로 성공하고 빠르게 명성을 얻었다.

주요 작품으로 〈철길 옆의 집(House by the Railroad)〉(1925), 〈자동판매기 식당(Automat)〉(1927), 〈일요일 이른 아침(Early Sunday Morning)〉(1930), 〈호텔 방(Hotel Room)〉(1931), 〈뉴욕극장(New York Movie)〉(1939), 〈주유소(Gas)〉(1940), 〈밤을 지새우는 사람들(Nighthawks)〉(1942) 등이 있다.

0-1
Sunday 1926

0-2
Early Sunday morning 1930

1
Cape cod morning 1950

2
First branch of the white river vermont 1938

3
Bistro 1909

4
Night shadows 1921

5
Rooms for tourists 1945

6
Moonlight interior 1923

7
House at dusk 1935

8
Summer evening 1947

9
House by the Railroad 1925

10
Night shadows 1921

11
Carolina morning 1955

12-1
Morning sun 1952

12-2
Blackhead monhegan 1919

12-3
Cobb's Barns and Distant Houses, 1930-33

13
Blackwell's island 1928

14-1
Rooms by the sea 1951

14-2
Summertime 1943

14-3
Seven A.M. 1948

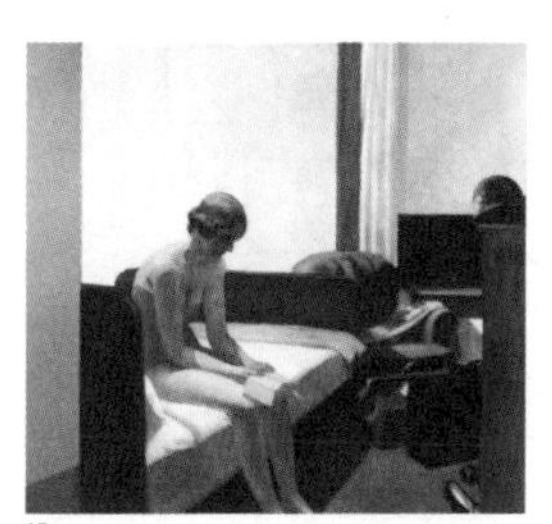
15
Hotel room 1931

16-1
Room in Brooklyn 1932

16-2
Automat 1927

17
Houses of squam light gloucester 1923

18-1
High Noon 1949

18-2
Reclining nude 1927

19-1
New York restaurant 1922

19-2
Drug store 1927

19-3
Chair car 1965

20
Office in a Small City 1953

21
The long leg 1930

22
Corn-hill 1930

23
Sun in an empty room 1963

24
Eleven A.M. 1926

25
Sun on prospect street gloucester massachusetts 1934

26-1
Nighthawks 1942

26-2
Gas 1940

26-3
Night windows 1928

27
Squam light 1912

28
Sunlights in cafeteria 1958

29
Western motel 1957

30-1
Sunlight on brownstones 1956

30-2
Les deux pigeons 1920

30-3
Summer interior 1909

30-4
Woman in the sun 1961

열두 개의 달 시화집
六月。
이파리를 흔드는 저녁바람이

초판 1쇄 발행 2018년 6월 1일
3쇄 발행 2021년 4월 19일

지은이 윤동주 외 17명
그린이 에드워드 호퍼
발행인 정수동
발행처 저녁달

출판등록 2017년 1월 17일 제406-2017-000009호
수소 경기도 파주시 책향기로 371, 607-903
전화 02-599-0625
팩스 02-6442-4625
이메일 moon5990625@gmail.com
인스타그램 @moon5990625
ISBN 979-11-963243-5-3 02810

값 9,800원

이 도서의 국립중앙도서관 출판예정도서목록(CIP)은 서지정보유통지원시스템 홈페이지(http://seoji.nl.go.kr)와 국가자료종합목록시스템(http://www.nl.go.kr/kolisnet)에서 이용하실 수 있습니다. (CIP제어번호 : CIP2018012815)

***저녁달고양이**는 **저녁달출판사**의 문학브랜드입니다.